Ce livre appartient à

Loi n° 49-956 du 16 juillet 1949 sur les publications destinées à la jeunesse
Dépôt légal : octobre 1999
ISBN : 2 7404 0916-8
Participation au texte : Miwou Woungly-Massaga

Imprimé par PPO Graphic, 93500 Pantin
Septembre 1999

Les plus beaux contes de Grimm

MANGO *JEUNESSE*

Blanche-Neige

Illustrations
Erin Augenstine

PAR une froide journée d'hiver, une reine était assise à sa fenêtre et brodait un ouvrage sur un cadre d'ébène. Elle regardait voler les flocons de neige quand l'aiguille lui piqua le doigt. Trois gouttes de sang tombèrent sur la neige accumulée sur le rebord de la fenêtre.

Le sang rouge était si beau sur la neige blanche que la reine s'exclama : « J'aimerais tant avoir un enfant au teint blanc comme la neige, aux joues rouges comme le sang et à la chevelure noire comme l'ébène ! »

Peu de temps après, elle donna naissance à une fille dont la peau était blanche comme la neige, les joues rouges comme le sang et les cheveux noirs comme l'ébène. Mais la reine mourut, un sourire aux lèvres, après avoir nommé son enfant : Blanche-Neige.

Blanche-Neige grandit et devint la plus belle jeune fille du royaume. Elle était si douce et si bonne que tous les sujets du roi l'adoraient.

Et les oiseaux dans les arbres comme les animaux dans les bois étaient devenus ses amis.

Hélas, peu après la mort de la douce reine, et alors que Blanche-Neige n'était encore qu'une enfant, le roi épousa une autre femme, fort belle mais méchante, orgueilleuse et jalouse. Elle ne pouvait supporter qu'une autre femme fût d'une plus grande beauté qu'elle.

Cette reine possédait un miroir magique. Chaque fois qu'elle s'y regardait, elle lui demandait :

« Miroir, Ô mon beau miroir,
dis-moi qui est la plus belle d'entre toutes les femmes ? »

Et le miroir répondait :

« C'est vous, ma reine, qui êtes la plus belle. »

La reine était heureuse, car elle savait que son miroir ne pouvait pas lui mentir.

Cependant, Blanche-Neige embellissait chaque jour et devint plus belle que la reine. Un beau matin, celle-ci consulta son miroir et lui demanda :

« Miroir, Ô mon beau miroir, dis-moi qui est la plus belle d'entre toutes les femmes ? »

Et le miroir répondit :

« Vous êtes très belle, ma reine, mais Blanche-Neige l'est encore davantage ! »

À ces paroles, la reine devint pâle de jalousie et de colère.

Épouvantée par cette terrible vérité, elle fit appeler son garde-chasse et lui dit froidement :

« Emmène Blanche-Neige dans la forêt et tue-la. Qu'elle disparaisse à tout jamais de ma vue. Et, ajouta-t-elle avec cruauté, rapporte-moi pour preuve de sa mort son cœur dans ce coffret. »

Le garde-chasse obéit et conduisit Blanche-Neige, terrorisée, dans la forêt. Mais, alors qu'il s'apprêtait à sortir son poignard, Blanche-Neige se mit à pleurer :

« Oh, laissez-moi la vie sauve ! J'irai au plus profond de la forêt. Je vous jure de ne plus jamais revenir au palais. »

Blanche-Neige était si jeune, si belle que le garde-chasse eut pitié d'elle et lui dit :

« Sauve-toi dans les bois, ma pauvre enfant ! »

Puis il tua une biche dont il rapporta le cœur à la reine comme preuve de la mort de Blanche-Neige.

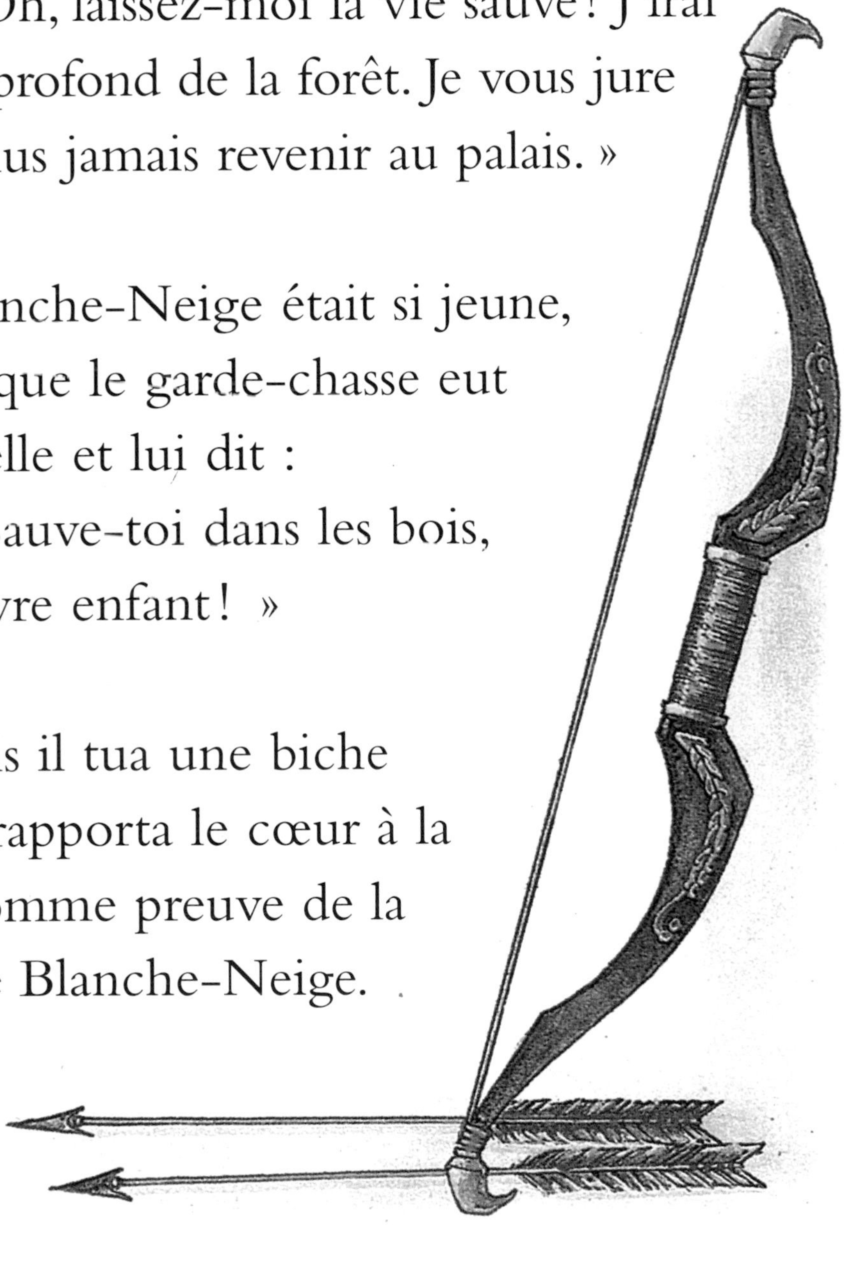

Toute seule dans la forêt, Blanche-Neige était terrifiée par les ombres menaçantes des arbres et par l'effrayant murmure du vent. Elle se mit à courir sans savoir où aller. Des bêtes sauvages surgissant de nulle part bondissaient autour d'elle, mais elles ne lui firent aucun mal.

Elle continua à courir parmi les ronces et les pierres jusqu'à ce que la nuit ait voilé la forêt entière. Enfin, épuisée, elle s'effondra en sanglotant.

C'est alors qu'elle aperçut à travers ses larmes une toute petite maisonnette nichée au fond d'un bois.

Lorsqu'elle y pénétra, elle vit que tout était minuscule, très propre et soigneusement rangé. Sur une petite table couverte d'une nappe blanche étaient dressés sept petites assiettes, sept petites cuillères, sept petites fourchettes, sept petits couteaux et sept petits gobelets. Contre le mur, il y avait sept petits lits, alignés les uns à côté des autres.

Comme elle avait très faim et très soif, Blanche-Neige mangea une bouchée de pain dans chaque assiette et but une goutte d'eau dans chaque gobelet, car elle ne voulait pas tout prendre au même.

Puis, à bout de forces, elle voulut se coucher, mais aucun des lits n'était à sa taille. Elle s'allongea alors sur trois petits lits et s'endormit aussitôt.

Quand la nuit fut complètement noire, les sept propriétaires de la maisonnette arrivèrent à la porte d'entrée. C'était sept nains qui allaient tous les jours dans la montagne, travailler à la mine. Ils allumèrent leurs sept petites lanternes et, quand la lumière illumina leur maisonnée, ils s'aperçurent que quelqu'un était entré chez eux en leur absence.

« Qui a touché à mon assiette ? demanda le premier.

— Qui a bu dans mon gobelet ? s'écria le deuxième.

— Qui s'est servi de ma fourchette ? s'exclama le troisième. »

Et le quatrième dit :
« Qui a mangé de mon pain ? »

Le cinquième :
« Qui a coupé avec mon couteau ? »

Le sixième :
« Qui s'est assis sur ma chaise ? »

Le septième, lui, poussa un cri de stupeur en découvrant Blanche-Neige endormie sur les lits. Il appela les autres et tous s'approchèrent pour contempler la jeune fille.

« Comme elle est belle ! », murmurèrent-ils, et, tout joyeux, ils décidèrent de la laisser dormir.

Au matin, lorsqu'elle se réveilla, Blanche-Neige poussa un cri de frayeur en découvrant les sept nains penchés sur elle. Mais ils lui sourirent si gentiment qu'elle chassa sa peur.

« Je m'appelle Blanche-Neige », dit-elle. Et elle leur raconta de quelle façon sa méchante belle-mère avait voulu la tuer et comment le garde-chasse lui avait sauvé la vie.

« Reste avec nous, lui proposèrent les nains. Tu pourrais nous faire à manger, t'occuper de notre maison.

En échange, nous t'offrons notre protection. »

Blanche-Neige accepta, heureuse d'avoir trouvé un foyer.

Ainsi, tous les soirs, en rentrant de la montagne, les sept nains trouvaient leur maisonnette propre comme un sou neuf et le dîner servi.

Blanche-Neige passait ses journées seule, aussi les nains l'avaient-ils prévenue de se montrer très prudente.

« Ta méchante belle-mère pourrait découvrir où tu te caches. Ne laisse jamais personne entrer », lui recommandèrent-ils.

À cet instant même, au palais, la méchante reine se contemplait dans son miroir magique.

Elle lui demanda :

« Miroir, Ô mon beau miroir, dis-moi qui est la plus belle d'entre toutes les femmes ? »

Et le miroir répondit :

« Vous êtes très belle, ma reine, mais, loin d'ici, dans une petite maison habitée par sept nains, Blanche-Neige l'est encore davantage ! »

La méchante reine tremblait de rage, elle était bouleversée. Blanche-Neige était vivante ! Son miroir ne mentait jamais ! Tout le jour, elle chercha un moyen de se débarrasser d'elle.

Elle prépara une pomme empoisonnée dont une moitié était blanche et l'autre moitié d'un rouge magnifique et luisant. Puis, elle se déguisa en vieille paysanne et s'en alla, méconnaissable, vers la maison des sept nains.

Quand elle frappa à la porte, Blanche-Neige se montra à la fenêtre :

« Je ne dois laisser entrer personne ! dit-elle.

— Bonjour, mon enfant. Je veux simplement vous vendre quelques pommes ! répliqua la vieille femme. Regardez comme elles sont belles. Tenez, goûtez celle-ci ! »

Et elle lui tendit la pomme empoisonnée. Mais Blanche-Neige refusa poliment.

« Avez-vous peur que je vous empoisonne ? demanda en riant la vieille paysanne. Je vais couper la pomme en deux. Prenez la moitié rouge et je prendrai la blanche. »

Et la vieille marchande croqua dans son bout de pomme. Le fruit paraissait si délicieux que Blanche-Neige ne résista pas à la tentation et accepta l'autre moitié.

Hélas ! Aussitôt qu'elle y planta ses dents, elle tomba sans vie sur le sol.

Ce soir-là, quand les sept nains revinrent à la maison en sifflotant joyeusement, ils trouvèrent Blanche-Neige étendue à terre, pâle et immobile. Ils l'appelèrent, essayèrent de la ranimer. En vain. Blanche-Neige était morte.

De retour au palais, la méchante reine se regarda dans le miroir magique et le questionna de nouveau :

« Miroir, Ô mon beau miroir, dis-moi qui est la plus belle d'entre toutes les femmes?

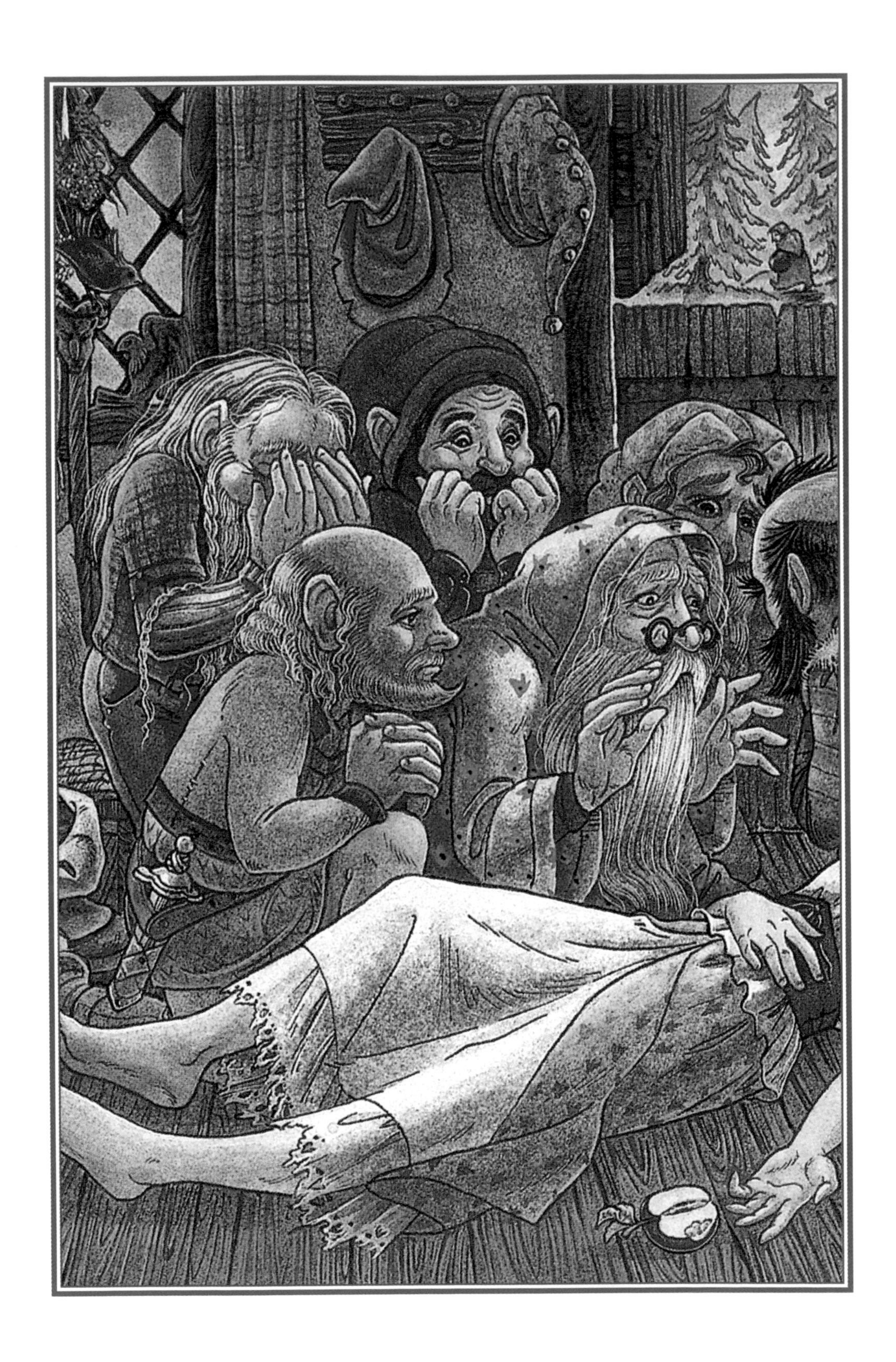

— Vous êtes la plus belle, ma reine », répondit le miroir.

La méchante reine était au comble du bonheur.

Les sept nains pleurèrent Blanche-Neige pendant trois jours. Elle paraissait encore si vivante que l'idée de l'ensevelir dans la terre froide leur parut insupportable. Ils fabriquèrent alors un magnifique cercueil de verre tout transparent sur lequel était inscrit "Blanche-Neige" en lettres d'or.

Longtemps, la belle jeune fille reposa dans son cercueil de verre, sans que sa beauté ne s'altère. Son teint était toujours aussi frais et ses joues légèrement rouges, comme auparavant.

Un beau jour, un prince qui se promenait à cheval dans les environs s'arrêta près de la maison des sept nains. Lorsqu'il vit Blanche-Neige, il la trouva si merveilleuse qu'il tomba fou amoureux d'elle.

Il dit aux sept nains :

« Laissez-moi repartir avec le cercueil et vous aurez tout ce que vous souhaitez. »

Les nains répondirent aussitôt :

« Nous ne nous séparerons jamais de Blanche-Neige, même pour tout l'or du monde. »

Le prince insista cependant :

« Alors donnez-la moi pour rien, car jamais je ne pourrai vivre sans être à ses côtés. »

À ces mots, les nains eurent pitié de sa peine. Ils se consultèrent un moment, puis ils acceptèrent que le prince emmène Blanche-Neige avec lui.

Le prince ordonna alors à ses serviteurs de la transporter dans son cercueil de verre jusqu'à son palais. Mais, en chemin, l'un d'eux trébucha.

Le cercueil se brisa et un morceau de pomme empoisonnée s'échappa de la gorge de Blanche-Neige. Elle ouvrit de grands yeux étonnés et découvrit un beau cavalier qui la regardait en souriant comme l'homme le plus heureux du monde.

« Où suis-je ? s'écria-t-elle.

— Vous êtes avec moi, répondit le prince. Et je désire vous épouser et vous garder toujours. »

Il lui raconta ensuite ce qu'il s'était passé. Blanche-Neige, émue par la douceur et la gentillesse du prince, accepta de l'épouser.

Le mariage fut célébré dans la plus grande joie. Bien sûr, les sept nains, les oiseaux des arbres et les animaux des bois traversèrent la forêt pour assister aux festivités.

La méchante reine, que la jalousie rendit laide, s'enfuit en courant dans la forêt. On ne la revit jamais.

Quant à Blanche-Neige et à son prince, ils vécurent très heureux, entourés de leurs amis dans le plus somptueux palais du royaume.

Le Petit Chaperon rouge

Illustrations
Elizabeth Miles

Il était une fois une petite fille que sa grand-mère aimait beaucoup. Elle lui avait confectionné un petit manteau à capuchon tout de velours rouge qui lui allait si bien que l'enfant ne voulut plus porter que celui-là. Et, dès lors, tous la surnommèrent le Petit Chaperon rouge.

Un jour, sa mère l'appela et lui dit :

« J'aimerais que tu ailles porter ce panier de galettes et ce petit pot de beurre à ta grand-mère, qui est malade. Ne t'attarde pas en chemin, n'adresse la parole à personne et, surtout, ne t'éloigne pas du sentier !

— Je ferai tout comme il faut », promit le Petit Chaperon rouge.

Comme sa grand-mère habitait de l'autre côté de la grande forêt, elle partit d'un pas vif, son petit panier sous le bras.

Bientôt, alors qu'elle était sur le chemin, elle rencontra un grand loup. Ignorant que le loup était une vilaine bête, elle ne s'effraya pas.

« Bonjour, Petit Chaperon rouge, lui dit le loup.

— Bonjour, répondit-elle poliment.

— Où vas-tu avec tant de hâte ?

— Je vais voir ma grand-mère, qui est malade. Je lui apporte ce panier de galettes et ce petit pot de beurre.

— Tu es bien gentille », dit le loup.

Mais il pensa :

« Quelle aubaine ! Voilà un mets bien jeune et tendre, sûrement meilleur que la grand-mère. Avec un peu d'adresse, je pourrai les manger toutes les deux ! »

Et il ajouta, avec un grand sourire :
« La forêt est splendide ce matin !
Regarde comme ces fleurs sont
belles. Quel dommage que tu sois
si pressée ! »

Le Petit Chaperon rouge
ouvrit tout grands ses yeux pour
mieux voir la forêt et continua son chemin.
Les rayons du soleil dansaient entre les arbres
et une multitude de fleurs éclatantes se
balançaient doucement dans le vent.

« Je suis sûre qu'un bouquet de ces jolies fleurs ferait très plaisir à grand-mère, pensa-t-elle. Il est encore si tôt que je peux bien m'arrêter un instant pour en cueillir quelques-unes. »

Elle quitta alors le sentier pour gambader dans les bois. Pendant ce temps-là, évidemment, le loup courait à perdre haleine vers la maison de la grand-mère.

En arrivant, il frappa à la porte.

« Qui est là ? demanda la vieille dame.

— C'est moi, le Petit Chaperon rouge! dit le loup en déguisant sa voix. Je t'ai apporté des galettes et un petit pot de beurre.

— Je suis trop faible pour me lever, mon enfant, répondit la grand-mère. Tire la chevillette, et la bobinette cherra. »

Alors le vilain loup tira la chevillette et la porte s'ouvrit.

Sans un mot, il entra dans la maison, monta jusqu'à la chambre, grimpa sur le lit et avala tout rond la grand-mère car il n'avait rien mangé depuis trois jours.

Puis il enfila une de ses chemises de nuit en flanelle, qui était bien trop petite pour lui, et une robe de chambre en laine. Il posa même sur son nez une paire de lunettes.

Il s'observa dans la glace. Comme on voyait trop ses grandes oreilles, il essaya de les cacher sous un bonnet de nuit en dentelle.

Ainsi déguisé, il prit place dans le lit, tira les couvertures sur son nez et attendit patiemment le Petit Chaperon rouge.

Pendant ce temps, le Petit Chaperon rouge cueillait toujours des fleurs dans la forêt. À chaque fois qu'elle en ramassait une, elle avait l'impression d'en voir une encore plus belle à côté. Et, ainsi, elle s'éloignait toujours davantage.

Quand elle eut les bras si chargés qu'elle pouvait à peine tenir son bouquet, elle retourna sur le sentier et reprit le chemin de la maison de sa grand-mère.

Elle arriva devant la porte et frappa.

« Qui est là ?

— C'est moi, Grand-mère, le Petit Chaperon rouge !

— Tire la chevillette, et la bobinette cherra », répondit le loup en adoucissant sa voix.

Le Petit Chaperon rouge tira la chevillette et la porte s'ouvrit. « Grand-mère doit être très malade », pensa-t-elle en montant l'escalier qui menait à la chambre.

Là, elle s'assit à côté du lit. Comme sa grand-mère avait l'air bizarre !

« Oh, Grand-mère ! Comme vous avez de grands yeux ! dit-elle.

— C'est pour mieux te voir, mon enfant !

— Oh, Grand-mère ! Comme vous avez de grandes oreilles !

— C'est pour mieux t'entendre, mon enfant, dit le loup.

— Oh, Grand-mère ! Comme vous avez de grandes mains !

— C'est pour mieux te prendre dans mes bras, mon enfant !

— Oh, Grand-mère ! Comme vous avez une grande bouche !

— C'est pour mieux t'embrasser, mon enfant !

— Oh, Grand-mère ! Comme vous avez de grandes dents !

— C'est pour mieux te manger, mon enfant ! » s'écria le loup en ouvrant une large mâchoire.

Et, en disant ces mots, il attrapa la petite fille et l'avala d'un coup !

Après cela, le ventre bien plein, il se mit à bâiller, se recoucha dans le lit, tira la couverture sur sa tête et s'endormit presque aussitôt.

Le loup poussait des ronflements si sonores que toutes les vitres en tremblaient. Dans la soirée, un chasseur passa devant la maison.

« Voilà qui est surprenant, pensa-t-il. La vieille dame ronfle bien fort aujourd'hui ! Je me demande si elle va bien. »

Il se dirigea donc vers la maison et vit, à son immense surprise, que la porte était grande ouverte.

« Bonsoir ! Il y a quelqu'un ? » appela-t-il. Mais personne ne répondit. Le vilain loup dormait trop profondément pour entendre quoi que ce soit.

« Il faut que je m'assure que tout est normal », se dit le chasseur en montant l'escalier sur la pointe des pieds.

Les ronflements, de plus en plus forts, le guidèrent jusqu'au lit de la grand-mère.

Et là, il vit le loup.

« Ha, ha ! dit-il. C'est donc encore toi qui ronfles si fort, coquin ! Voilà longtemps que je te cherche. On dirait que je t'ai enfin trouvé ! »

Le chasseur leva son fusil. Il était sur le point de tirer quand il lui vint à l'esprit que le loup avait peut-être mangé la vieille dame.

Il prit donc son couteau pour ouvrir le ventre de l'animal, d'où sortit tout d'abord le Petit Chaperon rouge. La petite s'écria :

« Comme j'ai eu peur. Il faisait si noir dans le ventre du loup ! »

Puis la grand-mère sortit à son tour, sans pouvoir encore bien respirer. Elles étaient tout heureuses d'avoir été sauvées.

Le chasseur se hâta d'aller chercher des pierres pour en remplir le ventre du loup, puis il le recousit. Quand le méchant loup se réveilla et aperçut le chasseur, il essaya de se sauver. Mais les pierres étaient si lourdes qu'il tomba raide mort !

Enfin, le chasseur, le Petit Chaperon rouge et sa grand-mère purent goûter les délicieuses galettes.

Bientôt, la grand-mère se sentit mieux et le Petit Chaperon rouge put rentrer chez elle.

À son retour, elle raconta à sa mère sa mésaventure.

« Je n'adresserai plus jamais la parole à des inconnus, ni ne m'éloignerai du chemin que tu m'auras conseillé. Je promets de ne plus te désobéir! » ajouta-t-elle.

Sa mère la serra dans ses bras et lui dit : « J'en suis certaine! »

Et, en effet, elle avait raison!

Hänsel & Gretel

Illustrations
John Gurney

Un pauvre bûcheron vivait avec sa seconde femme dans une cabane construite à la lisière d'une très grande forêt.

Ce bûcheron, qui avait eu d'un premier mariage un fils et une fille prénommés Hänsel et Gretel, était si pauvre qu'il n'eut bientôt plus d'argent pour nourrir sa famille.

Un soir, il prit sa femme à part et lui confia :

« Qu'allons-nous devenir ? Comment nourrir nos pauvres enfants? Nous n'avons plus rien à manger.

— Il n'y a qu'une seule chose à faire, répliqua-t-elle. Donnons à chaque enfant un dernier morceau de pain et emmenons-les dans la forêt. Nous les y laisserons. Ils trouveront bien de quoi se nourrir.

— Mais je ne peux pas faire une chose pareille à mes propres enfants ! Les bêtes sauvages ne tarderaient pas à les dévorer, s'écria le bûcheron.

— Oh! Tu préfères donc que nous mourions de faim tous les quatre ? Alors, il ne te reste plus qu'à faire nos cercueils! »

Et sa femme le harcela tant et si bien que le pauvre homme finit par céder.

Hänsel et Gretel, qui ne dormaient pas encore cette nuit-là, avaient tout entendu. Gretel fondit en larmes et dit :

« Nous sommes perdus.

— Ne t'inquiète pas, Gretel, la rassura son frère, je trouverai un moyen de nous sortir de là. »

Il attendit que ses parents soient endormis pour se glisser sans bruit hors de la maison. Le clair de lune faisait briller comme des pièces d'argent les petits cailloux blancs qui jonchaient le sol.

Hänsel en remplit ses poches et retourna se coucher.

« Dors en paix, petite sœur, dit-il à Gretel. Tout ira bien. »

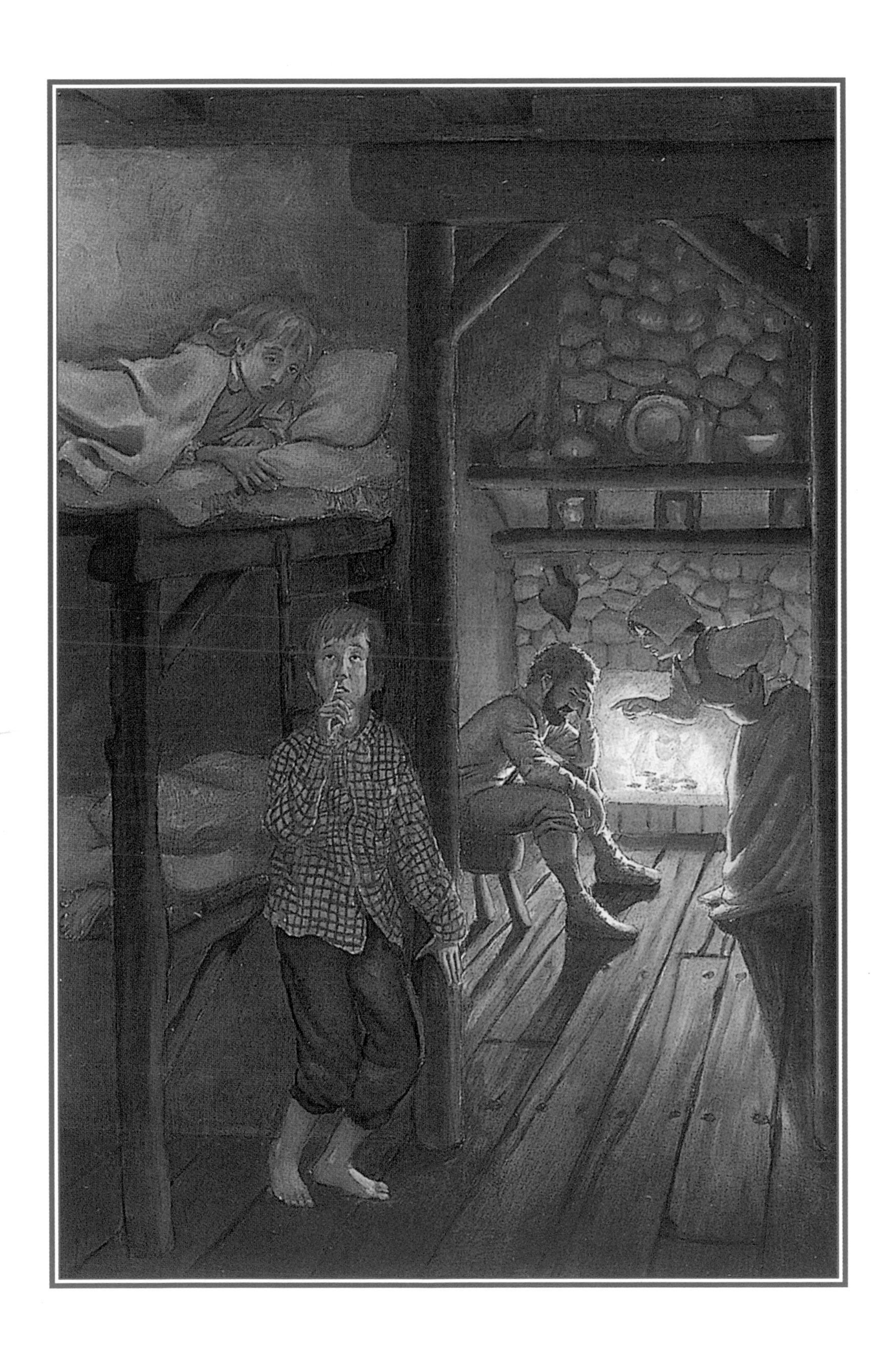

Le lendemain matin, de bonne heure, leur belle-mère vint réveiller les enfants en les secouant.

« Debout, paresseux ! Nous allons couper du bois dans la forêt, annonça-t-elle. Voici du pain pour le déjeuner, et veillez à ne pas le manger avant, car vous n'aurez rien d'autre ! »

Gretel cacha la part d'Hänsel dans son tablier, car les poches de son frère étaient déjà remplies de petits cailloux.

En chemin, Hänsel ne cessait de se retourner pour regarder la cabane.

« Allons, gronda son père, pourquoi traînes-tu comme cela ?

— Je dis au revoir à mon petit chat blanc, qui est perché sur le toit.

— Idiot ! répliqua sa belle-mère, ce n'est pas ton chat blanc. Ne vois-tu pas que c'est le reflet du soleil sur le toit ? »

Hänsel le savait bien, mais, à chaque fois qu'il se retournait, il laissait discrètement tomber un petit caillou blanc sur le chemin.

Une fois parvenus au cœur de la forêt, le père et la belle-mère allumèrent un grand feu.

« Vous n'avez qu'à rester près du feu et déjeuner pendant que nous allons couper du bois un peu plus loin. Quand nous aurons fini, nous reviendrons vous chercher », dit la belle-mère.

Hänsel et Gretel obéirent. Ils pensaient que leurs parents n'étaient pas trop loin, car ils pouvaient entendre le bruit de la hache contre les arbres. En réalité, il ne s'agissait que d'une branche morte qui, agitée par le vent, frappait un tronc à intervalles réguliers.

Comme ils étaient assis là depuis des heures, les enfants finirent par s'endormir.

Quand ils se réveillèrent, il faisait nuit noire et leurs parents n'étaient pas revenus auprès d'eux. Gretel se mit à sangloter, mais

Hänsel la rassura avec ces paroles :

« N'aie pas peur, petite sœur, attends que la lune se lève. Alors, nous pourrons retrouver notre chemin. »

Et, quand la lune éclaira le ciel, Hänsel prit Gretel par la main et ils suivirent à la trace les petits cailloux blancs, qui étincelaient comme des diamants.

Quand vint le jour, ils atteignirent la maison. Leur père, déchiré par l'idée d'avoir abandonné ses enfants dans la forêt, les serra fort dans ses bras.

Mais, bientôt, la faim tourmenta à nouveau toute la famille et, un soir, Hänsel et Gretel entendirent leur belle-mère dire à leur père :

« Il faut se débarrasser de ces enfants ! Cette fois, on les emmènera si loin qu'ils ne retrouveront jamais leur chemin. »

Hänsel attendit que ses parents s'endorment pour se glisser sans bruit hors de la maison et aller ramasser des petits cailloux. Mais, cette fois, la porte était fermée à clef.

Le lendemain matin, leur belle-mère leur donna à chacun un tout petit morceau de pain avant de partir dans la forêt. En chemin, Hänsel écrasa le pain dans sa poche et en jeta des miettes derrière lui. Quand son père lui demanda pourquoi il traînait, il répondit :

« Je dis au revoir à ma colombe, qui roucoule sur le toit.

— Idiot ! ce n'est pas ta colombe. Ne vois-tu pas que c'est le reflet du soleil sur le toit ? » répliqua sa belle-mère.

Hänsel le savait bien, mais, à chaque fois qu'il se retournait, il laissait tomber un tout petit bout de pain sur le chemin.

Cette fois, les parents emmenèrent les enfants dans une partie de la forêt qu'ils ne connaissaient pas du tout. Là, le bûcheron alluma un grand feu.

« Mangez votre pain près du feu pendant que nous allons couper du bois, dit leur belle-mère. Nous reviendrons vous chercher quand nous aurons fini. »

Gretel partagea son morceau de pain avec son frère. Puis tous deux s'endormirent.

Il faisait tout à fait nuit quand ils se réveillèrent. Ils appelèrent de toutes leurs forces leur père et leur belle-mère, mais personne ne leur répondit. Gretel se mit à sangloter, mais Hänsel la rassura encore une fois :

« Attends que la lune se lève et nous pourrons suivre les miettes de pain que j'ai laissées sur le chemin. »

Cependant, lorsque la lune se leva, les miettes de pain avaient disparu. Les oiseaux de la forêt les avaient toutes mangées.

« Tant pis, en route ! dit bravement Hänsel. Nous finirons bien par retrouver la maison. »

Mais ils marchèrent toute la nuit sans pouvoir sortir de la forêt.

Le lendemain, ils reprirent leur route, de l'aube au crépuscule, en vain. Ils étaient bel et bien perdus.

À part quelques noisettes ramassées par terre, ils n'avaient rien mangé depuis la veille.

La nuit venue, ils se remirent en marche le cœur serré car ils savaient que s'ils ne parvenaient pas à sortir de la forêt, ils mourraient.

Ils aperçurent alors, perché sur une haute branche, un magnifique oiseau blanc qui chantait.

Sa voix était si mélodieuse qu'ils s'arrêtèrent pour l'écouter. L'oiseau battit alors des ailes et voleta jusqu'à eux.

« On dirait qu'il essaie de nous montrer le chemin », s'écria Hänsel.

Les deux enfants le suivirent jusqu'à une petite maison sur le toit de laquelle il se posa.

En s'approchant, Hänsel et Gretel découvrirent que la maison était en pain d'épice, son toit en biscuit et ses fenêtres en sucre d'orge !

« Voilà un bon déjeuner ! Commence par les fenêtres, moi, je prends le toit », lança Hänsel à sa sœur.

Et il cassa un bout du toit pendant que Gretel faisait sauter un volet. C'est alors qu'une grosse voix se fit entendre de l'intérieur de la maison :

« Crique et croque ! Qui donc grignote ma maison ? »

Hänsel et Gretel répondirent en chœur :

« Ce n'est rien ! C'est le vent, c'est le vent ! »

Hänsel arracha un autre morceau du toit et Gretel un carreau, qu'elle avala tout rond.

La porte s'ouvrit alors brusquement et une vieille femme appuyée sur une canne apparut sur le seuil.

Hänsel et Gretel eurent très peur, mais la vieille femme leur dit gentiment :

« Ne craignez rien. Je ne vous ferai aucun mal. Entrez ! »

Et elle leur offrit des beignets aux pommes, avec du sucre et des raisins secs.

Puis elle leur montra deux petits lits douillets dans lesquels ils s'endormirent aussitôt, se croyant enfin en sécurité.

Mais la vieille femme n'était pas aussi gentille qu'elle le semblait. C'était en fait une méchante sorcière qui attirait les enfants grâce à sa maison de pain d'épice et, quand elle en attrapait un, elle le tuait, le faisait cuire et le mangeait.

Le lendemain matin, de bonne heure, elle secoua Hänsel pour le réveiller et l'emmena dans une cave toute noire où elle l'enferma.

Quant à Gretel, la sorcière lui dit en ricanant :

« Debout ! Tu as du travail ! Va faire la cuisine pour nourrir ton frère. Quand il sera bien gras, je le mangerai ! Ha ! Ha ! Ha ! »

Gretel éclata en sanglots mais cela ne servit à rien ; elle fut obligée d'obéir à l'ogresse.

Chaque jour, Hänsel était gavé des meilleurs plats pendant que la pauvre Gretel ne mangeait que des croûtons de pain dur.

Chaque jour, la sorcière descendait à la cave pour voir si Hänsel grossissait.

« Tends les doigts, disait-elle. Voyons si tu es assez dodu ! »

Mais Hänsel, qui était très malin, lui tendait toujours un os de poulet à la place du doigt.

Et la sorcière, qui avait une très mauvaise vue, tombait toujours dans le piège et grognait parce qu'il n'était pas encore bon à manger.

Pourtant, un jour, perdant patience, elle décida de le faire cuire quand même.

Elle appela Gretel et lui dit :
« Je vais faire cuire du pain. J'ai déjà préparé la pâte et allumé le four. Va donc voir à l'intérieur s'il est assez chaud. »

La sorcière avait décidé de l'enfermer dans le four et de la faire cuire également.

Mais Gretel devina ses intentions. Aussi demanda-t-elle :

« Comment fait-on pour rentrer dans le four?

— Idiote! répliqua la sorcière, l'ouverture est assez grande pour que tu puisse t'y glisser. Même moi, je pourrais y entrer, regarde. »

Et elle y pénétra. Rapide comme l'éclair, Gretel la poussa, claqua la porte derrière elle et la verrouilla.

La sorcière poussait des hurlements épouvantables, mais Gretel n'y prêta pas attention. Elle courut délivrer son frère.

« Oh! Hänsel, s'écria-t-elle, la méchante sorcière est morte, partons vite d'ici! »

Ils se jetèrent dans les bras l'un de l'autre, s'embrassèrent et sautèrent de joie.

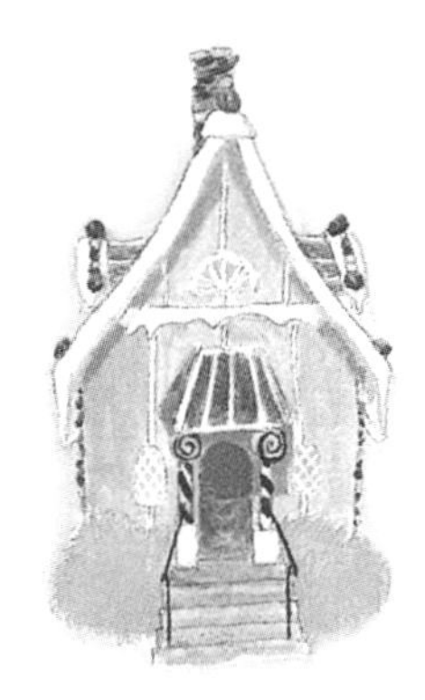

Avant de partir, ils visitèrent la maison de pain d'épice et découvrirent des coffres pleins d'or et de diamants. Hänsel en remplit ses poches et Gretel son tablier.

Les deux enfants s'enfoncèrent ensuite dans la forêt, où ils marchèrent toute la journée. Vers le soir, ils reconnurent un chemin fleuri qui leur était familier. Au loin, les enfants aperçurent enfin la cabane de leur père.

« Regarde, Gretel ! s'écria Hänsel. Nous ne sommes plus perdus ! »

Ils se mirent à courir aussi vite qu'ils pouvaient. Quand ils firent irruption dans la pièce, ils virent leur père, seul devant la cheminée.

Sa femme était morte, et pas une fois il n'avait eu une minute de bonheur depuis qu'il avait abandonné ses enfants dans la forêt.

Le bûcheron fut transporté de joie à la vue de ses enfants.

Hänsel et Gretel lui montrèrent tout l'or et toutes les pierres précieuses qu'ils avaient trouvés dans la maison de la sorcière. Désormais, ils allaient pouvoir vivre heureux et ne plus jamais avoir faim.